宫西达也恐龙系列

遇到你，真好

宫西达也 文图

蒲蒲兰 译

以前，以前，很久以前，
有一个棘龙宝宝到海边来摘红果子。
就在这个时候……

21 二十一世纪出版社集团
21st Century Publishing Group

"嗷呜——"
霸王龙张开大嘴，目露凶光，
一步步地逼近。

"哇——救命！"
棘龙宝宝浑身哆嗦，躲到了树干后面。
"在这样的地方遇到我算你倒霉。"
霸王龙说道。

嘎巴嘎巴嘎巴……

他用锋利的牙齿咬断了红果子树,
眼看要把棘龙宝宝一口吞掉。
就在这个时候……

大地轰隆隆隆地摇晃……
这是一场剧烈的地震。
咚咚咚咚咚……嘎嘎嘎嘎嘎……
随着轰隆隆的声响，大地裂开了。

嘎嘎嘎嘎……大地分成两半，
霸王龙和棘龙宝宝站着的这块陆地开始漂流。
咯咯咯咯……嘎嘎嘎嘎……
然后……

"我、我不会游泳啊……"
霸王龙沮丧地嘟囔道。

"我、我也不会游泳……我们、
我们会怎么样啊？"棘龙宝宝哭着说。
"什么'我们会怎么样'？
你就要被我吃掉了，呵呵呵呵！"
霸王龙说着，把棘龙宝宝轻轻地抓起来……

"不行！不行！你不能吃我！"
棘龙宝宝尖叫着，"我是捕鱼高手。
从今天起，我会为你捕很多很多的鱼。
你每天都能吃到美味的鱼。
要……要是你现在把我吃掉，
那以后就要一直饿着肚子了。"

"所以……
所以你不能吃我。
好不好?
好不好?"

"你真的会捕鱼？"霸王龙话音刚落，

棘龙宝宝哗啦一下把头扎进海里，很快……

他就叼着一条鱼回来了。霸王龙别提有多高兴了！
"咯吱咯吱咯吱。好吃，好吃，真好吃！
以后你就给我捕鱼吧！"霸王龙食量惊人，
棘龙宝宝每天都累得筋疲力尽。
就这样，他俩一起生活在这片小岛上。

一天晚上——
"我叫抽抽搭搭。因为我爱哭鼻子，
所以大家都这么叫我。
叔叔，你叫什么名字啊？"
棘龙宝宝望着霸王龙。

"我、我是……无名。"

"你叫吴明？这样啊，吴叔叔，你来这里干什么呀？"

"吴、吴……吴叔叔？好吧。

那天，我想，在红果子树边一定能找到好吃的家伙。

你呢？抽抽搭搭，你来这里干吗？"

"是吗？为妈妈来到这儿？"霸王龙说。

抽抽搭搭哭着说："不知道妈妈现在怎么样了？
她还在等着我吗？"

霸王龙温柔地说："你妈妈一定没事，
她一定在等你回去呢。"

"谢谢，谢谢叔叔！"

霸王龙从来没听过别人对他说"谢谢"。

第二天，抽抽搭搭正要去捕鱼，霸王龙笑眯眯地说：
"今天不吃鱼了，咱们吃红果子吧！"说着，他摘了许多红果子。
抽抽搭搭高兴地喊道："叔叔，你太棒了！"
霸王龙从来没听过别人对他说"太棒了"。

"咯吱咯吱……真好吃！叔叔，你也快吃吧。"抽抽搭搭说。

霸王龙也把一颗红果子扔进嘴里，咯吱咯吱，

"嗯、好吃！这可能比你还好吃呢！嘿嘿嘿嘿……"

"是吧？呵呵呵呵，叔叔，你真好玩！呵呵呵呵……"

霸王龙也从来没听过别人对他说"真好玩"。

他看到抽抽搭搭吃得很香，不由得想：

好想让他妈妈早点吃到红果子呀！

第三天，
一只它蓓翼龙从空中
向着抽抽搭搭俯冲下来。

霸王龙用尾巴"哐当"一下把它甩走了。

抽抽搭搭高兴极了："叔叔,你真酷!"

霸王龙从来没听过别人对他说"真酷"。

几天之后的一个晚上，
抽抽搭搭想起了妈妈，
便抽抽搭搭地哭了起来。

霸王龙每次听到抽抽搭搭对他说
"谢谢"、"太棒了"、"真好玩"、
"真酷"、"你真好"时，
心里都感到一股暖流，
他想对抽抽搭搭说：
"能遇到你……"
就在这个时候……

霸王龙什么都没说，
紧紧地拥抱了他。
抽抽搭搭擦干眼泪说：
"叔叔，你真好。"
霸王龙从来没听过别人对他说
"你真好"。

轰隆轰隆……又是一场大地震。
嘎嘎嘎嘎……咚咚咚咚……
随着轰隆隆的声响，小岛晃动了起来。

没想到，他们在渐渐地向那天分离的大陆靠过去……
越来越近，越来越近……眼看就要靠在一起了，
地震忽然停了下来，小岛也不再移动了。
"快！快趁现在……"

霸王龙抱起抽抽搭搭，
使出全身力气，跳了出去。

海浪闪闪发亮。

扑通！就差一点点，最终，
霸王龙还是掉到了海里，
只把红果子树抛了上去。
"这个……这个别忘记带走……
快、快去找你妈妈……"
"我怎么能把你丢在这里自己走啊！"
抽抽搭搭哭叫着。

"别管我了，你快走……
我、我……能遇到你真好……"说着，
霸王龙静静地向深深的海底沉了下去。
"叔叔！叔叔！叔——叔——"
抽抽搭搭的哭泣声响彻夜空。

几年后，抽抽搭搭学会了游泳。

一天，他游到了那个小岛。

在霸王龙咬断的红果子树上，结着两颗红果子。

抽抽搭搭一边吃着其中一颗，一边学着霸王龙说：

"好吃！这可能比你还好吃呢！嘿嘿嘿嘿……"

眼泪从抽抽搭搭的眼眶里溢了出来。

"叔叔，你不仅很好玩、很酷，还很温柔……

谢谢你，叔叔……遇到你，真好。"

宫西达也

1956 年出生在日本静冈县。

日本大学艺术学部美术学科毕业。

曾从事玩偶美术设计、平面设计等工作，最终成为绘本作家。

他运用独特的色彩，创作出栩栩如生的人物形象，

在充满爱的故事里焕发着无限的魅力。

所创作的绘本被译成多国语言，畅销数十年。

其中多部作品在中国翻译出版，拥有众多读者。

《你看起来好像很好吃》已经在日本被改编成动画电影。

主要作品有：

《你看起来好像很好吃》(获剑渊绘本大奖)

《我是霸王龙》

《你真好》

《永远永远爱你》

《请把你的爱给我》

《我爱你》

《遇到你，真好》(获剑渊绘本·bibakarasu 奖)

《乒乒乓乓钓大鱼》

《好饿的小蛇》

《明天的我……》

《你猜小蛇后来怎么了？》

《很好吃的咚咚咚—》

《我的爸爸是超人》(获剑渊绘本·bibakarasu 奖)

《回家的爸爸是超人》(获剑渊绘本大奖)

《007 超人爸爸》(获剑渊绘本大奖)

《大便》(获剑渊绘本·bibakarasu 奖)

《喵》

《奶》

《今天我的运气怎么这么好》(获讲谈社出版文化奖·绘本奖)

《跟屁虫》

《神奇的糖果屋》(获日本绘本奖·读者奖)

《赞成！》

The only chance in one's life.